A Eduardo Iturbe, E.P.
A Jesús Guzmán, F.R.

Primera edición: 2007

D.R. © Elena Poniatowska
D.R. © Fernando Robles

D.R. © Ediciones Tecolote, S.A. de C.V.
Gobernador José Ceballos 10
Colonia San Miguel Chapultepec
11850, México, D.F.
5272 8085 / 8139
tecolote@edicionestecolote.com
www.edicionestecolote.com

Coordinación editorial: Ma. Cristina Urrutia
Diseño: Rebeca Nieva, Mónica Solórzano

ISBN
13: 978-970-9718-76-8
10: 970-9718-76-2
Impreso y hecho en México

EL BURRO
que metió la pata

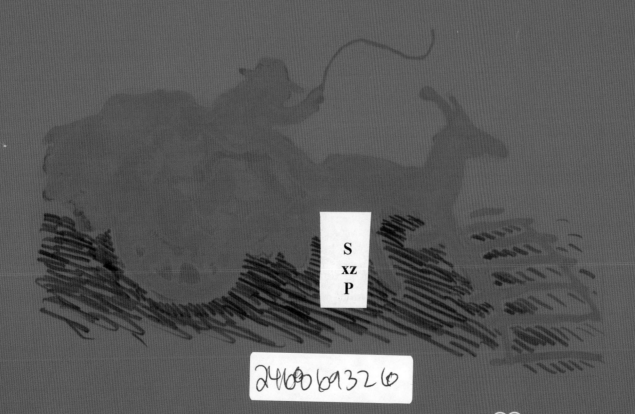

EDICIONES
TECOLOTE

Mane se llamaba Emmanuel, pero de niño jamás pudo pronunciar su nombre. Todavía a los tres años, cuando le preguntaban: "¿cómo te llamas?", respondía "Mane". Y así se le quedó; Mane. Platicaba con los animales: los perros, los gatos, las tortugas, los pájaros y hasta con los colibríes que se van luego, luego. Los animales se sentían queridos y se acercaban, confiados. A ellos les gusta que los acompañe el amor.

Íbamos a la colonia San Juan de Aragón, cerca de la colonia del Sol, ¡qué bonito nombre!, donde ahora está una compañía trituradora de basura; la frontera entre el Distrito Federal y el Estado de México. Ahí pasaba el tren de carga que iba a Cuernavaca con sus 17 furgones (antes eran 36) y atravesaba la "Ciudad Lago", que así se llama todavía porque antes era agua, pero luego la rellenaron con el cascajo de las enormes excavaciones del Metro... y se acabó el lago.

Una tarde, en el crucero que relumbra
de rieles y durmientes, se atoró una carreta
que causó gran alarma. "¡Qué barbaridad.
Miren nada más el accidente!"

De la Cuchilla del Tesoro, de San Juan de Aragón, de la colonia Bosques, de la del Sol y del Bordo de Xochiaca llegaron los curiosos; no sólo hombres y mujeres, sino perros con sus piojos y gatos con sus lagañas y zopilotes con su hambre.

La carreta llevaba alfalfa para los conejos y las vacas, porque en esa época había establos en ese rumbo. Los almacenes de forraje pertenecían a Jaime Sabines, que repartía leche buena con harta nata e iba todos los días a leerle poesía a las vacas.

Sonaron los cláxones. Enojados, los choferes maldecían a esa carreta detenida en medio de la vía y le gritaban al dueño:

—Órale, muévete, burro. ¿Qué te pasa?

Y el viejito le daba latigazos al burro con unas cuerdas de ixtle.

El animal no podía moverse porque se le había
atorado el casco de su pata derecha en uno
de los rieles y, por más lucha que hacía, le era
imposible zafarlo. Los cláxones se hacían cada
vez más furiosos y los insultos atravesaban
el aire y llegaban hasta la alfalfa verde.

Entonces Mane, con la naturalidad

de sus trece años, dijo:

—Vamos a deshacer este entuerto.

(Igualito que el *Quijote,* que en ese año

leía en la escuela.)

—Voy a ponerle remedio a esto —repitió.

Descendió raudo y veloz del vochito verde

y le pidió al señor de la carreta:

—Ya no le pegue.

Puso sus dos manos sobre el tobillo del burro,
jaló hacia arriba y sacó el casco de la trampa
sin ningún trabajo. Todos los demás estaban viviendo
una calamidad, y él, muy contento, le pidió al burro
que siguiera su camino. El burro era gris, muy fuerte,
muy bonito, y sonrió con todos sus dientes:
—Ahora sí, ya puede irse —le dijo Mane al viejo
de la carreta.

Los automovilistas cruzaron la vía y hubo quien gritara desde la ventanilla:

–¡Gracias, muchacho!

Era el único que no se había quedado cruzado de brazos, mientras los demás rebuznaban indignados, enfurecidos, ultrajados, sin buscar solución.

Una pata se mete donde sea,
pero siempre se puede
"sacar la pata".

El burro que metió la pata
se imprimió en el mes de agosto de 2007
en los talleres de Offset Rebosán.
Se tiraron 3 000 ejemplares.